한권으로 끝내는 컴퓨터의 역사

한권으로 끝내는 컴퓨터의 역사

발 행 | 2024년 07월 12일
저 자 | 이상훈
펴낸이 | 한건희
펴낸곳 | 주식회사 부크크
출판사등록 | 2014.07.15.(제2014-16호)
주 소 | 서울특별시 금천구 가산디지털1로 119 SK트윈타워 A동 305호
전 화 | 1670-8316
이메일 | info@bookk.co.kr

ISBN | 979-11-410-9502-4

한권으로 끝내는 컴퓨터의 역사

이상훈 지음

CONTENT

머리말

컴퓨터는 이제 우리 일상에서 빼놓을 수 없는 존재가 되었습니다. 우리가 매일 사용하는 스마트폰, 인터넷, 그리고 다양한 가전제품에 이르기까지, 컴퓨터 기술은 우리의 삶을 근본적으로 변화시켰습니다. 하지만 이렇게 가까이 있는 컴퓨터가 어떻게 탄생하고 발전해왔는지 알고 계신가요?

"한권으로 끝내는 컴퓨터 역사"는 고대 아바쿠스에서부터 시작하여, 20세기의 컴퓨터 혁명, 그리고 현재의 인공지능까지 컴퓨터의 발전 과정을 흥미진진하게 탐구합니다. 이 책은 컴퓨터 과학의 역사 속에서 중요한 순간들과 인물들, 그리고 재미있는 일화들을 소개하여, 복잡하고 어려운 기술적 내용을 쉽게 이해할 수 있도록 도와줍니다.

이 책은 단순한 역사서가 아닙니다. 컴퓨터의 발전 과정에서 발생한 흥미로운 일화와 비하인드 스토리, 그리고 혁신가들의 도전과 성공 이야기를 통해, 우리는 컴퓨터 과학이 단순한 기술의 집합체가 아니라, 인간의 창의성과 끈기의 산물임을 깨닫게 될 것입니다.

"한권으로 끝내는 컴퓨터 역사"는 컴퓨터 과학을 처음 접하는 사람부터, 이미 알고 있는 사람들까지 모두가 즐길 수 있는 책입니다. 복잡한 기술 용어 없이도, 컴퓨터 과학의 흥미로운 세계를 함께 탐험해봅시다.

이제, 컴퓨터의 유쾌한 역사 여행을 시작해볼까요?

저자 이상훈

제 1 장 서 문

한권으로 끝내는 컴퓨터의 역사에 오신 것을 환영한다. 여러분은 지금 이 책이 단순히 기술의 발전 과정을 설명하는 딱딱한 책이라고 생각할 수도 있겠지만, 걱정하지 마시라. 이 책은 기술적인 용어와 복잡한 이론 대신, 컴퓨터의 발명과 발전 과정 속에 숨겨진 재미난 이야기들과 흥미로운 일화를 소개하려고 한다.

컴퓨터는 오늘날 우리의 삶에서 빼놓을 수 없는 중요한 존재이다. 우리는 매일 컴퓨터를 사용해 일을 하고, 공부를 하고, 게임을 하고, 친구들과 소통을 한다. 그런데 여러분은 컴퓨터가 어떻게 탄생하고 발전해 왔는지 궁금해 본 적이 있는가? 이 책은 그런 궁금증을 풀어주려고 한다.

컴퓨터는 단순한 기계가 아니다. 컴퓨터의 역사는 혁신과 창의성, 그리고 끈기의 역사이다. 우리가 손쉽게 사용하는 스마트폰부터 인공지능에 이르기까지, 그 배경에는 수많은 인물들이 있다. 이 책에서는 그들의 이야기를 소개하면서, 컴퓨터가 어떻게 발전해 왔는지를 풀어볼 것이다.

여러분은 왜 컴퓨터가 발명되었는지 생각해 본 적 있는가? 초기의 컴퓨터는 우리가 오늘날 사용하는 것과는 완전히 다른 목적을 가지고 있었다. 처음에는 단순히 계산을 빠르고 정확하게 하기 위해 고안되었다. 사실, 최초의 컴퓨터는 대규모 군사 프로젝트에서 암호를 해독하거나 포탄의 궤적을 계산하는 등, 전쟁을 위한 도구로 사용되기도 했다.

찰스 배비지는 컴퓨터의 아버지라고 불릴 정도로 중요한 인물이다. 그는 19세기에 이미 기계식 계산기인 '차분 엔진'과 '해석 엔진'을 설계했다. 배비지의 기계는 완전히 작동하지는 않았지만, 그의 아이디어는 이후 컴퓨터 과학의 기초가 되었다. 또한, 배비지와 함께 일했던 애이다 러브레이스는 최초의 프로그래머로 여겨진다. 그녀는 배비지의 기계를 이용한 프로그램을 작성하면서, 컴퓨터가 단순한 계산 이상의 일을 할 수 있다는 비전을 제시했다.

제2차 세계 대전 동안 컴퓨터는 급격히 발전하게 된다. 전쟁 중에 개발된 '콜로서스'와 '에니악'은 오늘날 우리가 아는 전자식 컴퓨터의 시초가 된다. 특히, 앨런 튜링은 독일의 암호를 해독하는 데 중요한 역할을 했다. 그의 연구는 컴퓨터 과학의 근본적인 개념인 '

튜링 기계'를 탄생시켰다. 튜링의 이야기는 컴퓨터 과학의 기초를 이해하는 데 필수적이다.

전쟁이 끝난 후, 컴퓨터는 점점 더 작고, 빠르고, 저렴해졌다. 1970년대와 1980년대에는 개인용 컴퓨터가 등장하면서, 일반 가정에서도 컴퓨터를 사용할 수 있게 되었다. 애플의 스티브 잡스와 스티브 워즈니악, 그리고 IBM의 개인용 컴퓨터는 컴퓨터를 대중화하는 데 큰 역할을 했다. 스티브 잡스와 스티브 워즈니악은 애플을 창업하면서 개인용 컴퓨터의 혁신을 이끌었다. 그들의 첫 제품인 애플 I과 이어서 나온 애플 II는 컴퓨터를 가정으로 들여오는 계기가 되었다. IBM 또한 PC 시장에 뛰어들면서 개인용 컴퓨터의 대중화를 촉진했다. 뒤에서 그들의 흥미로운 이야기를 다루어볼 것이다.

인터넷의 탄생은 컴퓨터 역사에서 또 하나의 큰 전환점이다. 아르파넷에서 시작된 인터넷은 전 세계를 하나로 연결하는 통신망으로 발전했다. 월드 와이드 웹의 발명으로 우리는 정보를 더 쉽게 검색하고 공유할 수 있게 되었다. 팀 버너스리는 웹의 창시자로, 그의 업적은 오늘날 우리가 인터넷을 사용하는 방식을 혁신적으로 변화시켰다. 인터넷의 탄생과 발전 과정은 매우 흥미롭다. 인터넷의 초기 목적과 어떻게 현재와 같은 형태로 발전해왔는지를 살펴볼 것이다. 그리고 팀 버너스리의 업적과 인터넷의 미래에 대해 논의해보자.

하드웨어만큼 중요한 것이 소프트웨어이다. 마이크로소프트의 빌 게이츠는 운영 체제 시장을 혁신했다. 그의 윈도우 운영 체제는 컴퓨터를 더 쉽게 사용할 수 있게 했다. 또한, 리눅스와 같은 오픈 소스 소프트웨어는 전 세계 개발자들이 협력하여 소프트웨어를 발전시키는 문화를 만들었다. 빌 게이츠의 이야기는 단순한 성공 스토리가 아니다. 그는 소프트웨어 산업의 미래를 내다보았고, 이를 통해 마이크로소프트를 세계적인 기업으로 성장시켰다. 뒤에서 그의 업적과 함께 소프트웨어의 중요성을 살펴볼 것이다.

2000년대에 들어서면서 스마트폰이 등장했다. 애플의 아이폰과 구글의 안드로이드는 우리 일상을 완전히 바꾸어 놓았다. 이제 우리는 손 안의 작은 기기를 통해 언제 어디서나 인터넷에 접속하고, 다양한 앱을 사용하며, 전 세계와 소통할 수 있게 되었다. 스마트폰의 발전은 모바일 컴퓨팅의 새로운 시대를 열었다. 스티브 잡스의 비전과 구글의 안드로이드 플랫폼이 어떻게 스마트폰 시장을 형성했는지 알아보자. 그리고 스마트폰이 우리의 생활에 어떤 영향을 미쳤는지 살펴보겠다.

오늘날 인공지능(AI)은 컴퓨터 과학의 최전선에 있다. 머신 러닝과 딥러닝 기술의 발전으로 컴퓨터는 놀라운 일을 해낼 수 있게 되었다. 우리는 AI가 의료, 금융, 교육 등 다양한 분야에서 혁신을 일으키는 모습을 보고 있다. 또한, 퀀텀 컴퓨팅과 같은 새로운 기술이 미래의 컴퓨팅을 어떻게 바꿀지 기대해 볼 만하다. 엘런 머스크와 같은 인물들은 AI와 퀀텀 컴퓨팅의 미래에 큰 영향을 미치고 있다. 그들의 비전과 현재 진행 중인 프로젝트를 통해 미래의 컴퓨팅 기술이 어떻게 변화할지 알아보자.

이 책을 읽다 보면 컴퓨터의 역사가 단순한 기술의 발전을 넘어, 인간의 창의성과 끈기, 그리고 혁신의 역사임을 깨닫게 될 것이다. 또한, 미래의 컴퓨팅 기술이 어떻게 발전할지에 대한 전망도 함께 나눌 예정이다. 기대해 보시라.

그럼, 이제 컴퓨터의 흥미로운 역사 속으로 함께 떠나보자!

제2장 고대의 컴퓨팅 장치

컴퓨터의 역사를 논할 때 우리는 현대의 전자기기만을 떠올리기 쉽다. 그러나 컴퓨터의 뿌리는 아주 오래전으로 거슬러 올라간다. 인류는 수천 년 전부터 계산의 필요성을 느끼고 다양한 도구를 개발해 왔다. 이 장에서는 그 고대의 컴퓨팅 장치들을 소개하려고 한다.

여러분은 플라톤의 말, "필요는 발명의 어머니"를 들어본 적 있는가? 정말 맞는 말이다. 인간은 필요에 따라 놀라운 발명품을 만들어왔다. 최초의 계산 도구 중 하나는 아바쿠스일 것이다. 아바쿠스는 기원전 2400년경 메소포타미아에서 처음 사용되었다고 한다. 단순하지만 매우 효과적인 이 도구는 오늘날에도 여전히 사용되고 있다. 우리가 주판이라고 부르는 그것의 시초라 생각하면 된다.

아바쿠스는 단순한 도구였지만, 당시 사람들에게는 혁신적인 발명품이었다. 나무나 돌로 만들어진 프레임에 여러 개의 막대가 있고, 그 위에 구슬이 꿰어져 있다. 사용자는 구슬을 이동시켜 수를 계산할 수 있었다. 아바쿠스는 매우 직관적이어서, 숫자를 모르는 사람도 쉽게 사용할 수 있었다. 이 도구의 놀라운 점은 사용자가 빠르고 정확하게 계산할 수 있도록 도와준다는 것이다. 상인들은 거래에서 아바쿠스를 사용해 신속하게 계산을 마치고, 건축가들은 복잡한 계산을 쉽게 처리할 수 있었다.

주판의 원형이 된 아바쿠스

한 일화로, 고대 중국의 한 상인은 아바쿠스를 사용하여 하루에 수백 건의 거래를 처리했다고 한다. 아바쿠스 덕분에 그는 다른 상인들보다 훨씬 빠르게 계산을 마치고 더 많은 거래를 성사시킬 수 있었다. 이러한 일화들은 아바쿠스가 단순한 도구가 아닌, 당시 사회에 큰 영향을 미친 중요한 발명품임을 보여준다.

하지만 아바쿠스보다 더 놀라운 고대의 계산 장치가 있다. 바로 안티키테라 기계이다. 이 기계는 기원전 150년경 고대 그리스에서 만들어진 것으로 추정된다. 1901년 그리스의 안티키테라 섬 근처에서 난파선에서 발견된 이 기계는, 그 복잡성과 정교함으로 인해 많은 사람들을 놀라게 했다.

안티키테라 기계는 고대 그리스에서 만들어진 천문 계산 장치로, 놀라운 정교함을 자랑한다

안티키테라 기계는 천문 관측을 위해 사용된 것으로 보인다. 여러 개의 톱니바퀴로 이루어진 이 기계는 태양과 달, 그리고 행성들의 위치를 계산할 수 있었다고 한다. 이를 통해 고대 그리스인들은 일

식과 월식을 예측하고, 다양한 천문학적 현상을 관찰할 수 있었다. 안티키테라 기계의 복잡성은 현대의 기계공학자들도 감탄할 정도로 뛰어났다. 이 기계는 컴퓨터의 초기 형태라고 할 수 있다. 그 정교함과 복잡성은 오늘날의 컴퓨터와 비교해도 손색이 없다.

안티키테라 기계가 발견된 후, 학자들은 오랜 시간 동안 이 기계를 분석하고 재현하려고 노력했다. 기계의 일부가 부식되고 파손되어 정확한 구조를 파악하기 어려웠지만, 최근의 연구를 통해 점점 더 많은 비밀이 밝혀지고 있다. 이 기계는 단순한 계산 장치를 넘어, 고대 그리스의 뛰어난 과학기술을 보여주는 증거로 여겨진다.

고대 중국에서도 독특한 계산 도구가 개발되었다. 중국의 주판은 아바쿠스와 유사하지만, 구슬의 배치와 사용 방식에서 차이가 있다. 주판은 주로 상인들이 거래를 할 때 사용했다. 오늘날에도 중국의 많은 상점에서 주판을 사용하는 모습을 볼 수 있다. 주판은 아바쿠스보다 더 복잡한 계산을 할 수 있었고, 이를 통해 중국의 상인들은 거래를 더 효율적으로 처리할 수 있었다.

고대 중국의 한 유명한 상인은 주판을 사용해 하루에 수백 건의 거래를 처리했다고 전해진다. 주판 덕분에 그는 다른 상인들보다 훨씬 빠르게 계산을 마치고 더 많은 거래를 성사시킬 수 있었다. 이러한 일화들은 주판이 단순한 도구가 아닌, 당시 사회에 큰 영향을 미친 중요한 발명품임을 보여준다.

고대 인도의 계산 도구도 빼놓을 수 없다. 인도에서는 기원전 500년경에 찬드라카르나라는 도구가 사용되었다. 이 도구는 삼각함

수를 계산하는 데 사용되었다고 한다. 당시 인도인들은 천문학과 수학에서 뛰어난 업적을 이루었고, 찬드라카르나는 그 중 하나였다. 찬드라카르나는 고대 인도 천문학자들이 별의 위치를 계산하고, 일식과 월식을 예측하는 데 사용되었다.

이처럼 고대의 사람들은 다양한 계산 도구를 개발하여 사용해왔다. 이 도구들은 단순한 계산을 넘어서, 천문학, 상업, 건축 등 다양한 분야에서 중요한 역할을 했다. 컴퓨터의 역사는 이처럼 오랜 시간 동안 인간의 필요에 따라 발전해왔다. 고대의 계산 도구들은 오늘날의 컴퓨터 발전에 큰 영감을 주었고, 그 기초가 되었다.

한편, 고대 이집트에서도 흥미로운 계산 도구들이 사용되었다. 피라미드를 건설할 때 사용된 다양한 측량 도구들은 정교한 계산을 필요로 했다. 이집트의 건축가들은 도형을 이용한 계산법을 개발했고, 이를 통해 거대한 건축물을 정확하게 설계하고 건축할 수 있었다.

이제 우리는 중세와 르네상스를 거쳐 현대의 컴퓨터로 이어지는 여정을 계속해서 탐험할 것이다. 다음 장에서는 찰스 배비지와 애이다 러브레이스의 이야기를 다루어보려고 한다. 고대의 계산 도구들이 어떻게 현대의 컴퓨터로 진화했는지 그 연결 고리를 살펴보자.

제 3 장 기 계 식 계 산 기 와 찰 스 베 비 지

　19세기 초, 산업혁명이 한창 진행 중이던 시기, 영국에는 혁신적인 발명가와 과학자들이 많이 있었다. 그 중에서도 특히 두 사람, 찰스 배비지와 애이다 러브레이스는 현대 컴퓨터 과학의 기초를 세운 인물들로서 매우 중요하다. 이 장에서는 그들의 삶과 업적, 그리고 그들의 아이디어가 어떻게 오늘날의 컴퓨터로 이어지게 되었는지를 살펴보자.

　찰스 배비지는 1791년 런던에서 태어났다. 그는 어릴 때부터 수학에 뛰어난 재능을 보였고, 케임브리지 대학교에서 수학을 전공했다. 배비지는 수학 외에도 기계와 발명에 큰 관심을 가지고 있었다. 그가 가장 유명해진 발명품은 바로 '차분 엔진(Difference Engine)'

이다. 차분 엔진은 대규모 계산을 자동으로 수행하기 위해 설계된 기계로, 현대 컴퓨터의 시초라고 할 수 있다.

차분 엔진은 복잡한 수학 계산을 자동으로 처리할 수 있는 기계로, 주로 항해와 천문학에서 사용될 목적으로 개발되었다. 당시에는 정확한 계산이 매우 중요했지만, 수작업으로 계산을 하다 보니 오류가 많이 발생했다. 배비지는 이러한 문제를 해결하기 위해 차분 엔진을 설계했다. 차분 엔진은 수차례의 개선을 거치면서 점점 더 정교해졌지만, 완성되지는 못했다.

차분 엔진이 완성되지 못한 이유 중 하나는 당시 기술로는 기계를 제작하는 것이 매우 어려웠기 때문이다. 배비지는 복잡한 톱니바퀴와 기어를 설계했지만, 이를 실제로 제작하는 것은 매우 까다로운 작업이었다. 그럼에도 불구하고, 배비지의 아이디어는 매우 혁신적이었고, 후에 컴퓨터 과학의 기초가 되었다.

배비지는 차분 엔진 외에도 '해석 엔진(Analytical Engine)'이라는 더 복잡하고 강력한 기계를 설계했다. 해석 엔진은 오늘날의 컴퓨터와 매우 유사한 개념을 가지고 있었다. 이 기계는 프로그래밍이 가능하고, 조건부 분기와 루프 같은 논리 구조를 포함하고 있었다. 해석 엔진은 차분 엔진보다 훨씬 더 복잡하고 강력한 기계로, 배비지는 이를 통해 더 많은 종류의 계산을 자동으로 처리할 수 있다고 믿었다.

배비지의 해석 엔진이 주목받기 시작하면서, 또 다른 중요한 인물이 그의 연구에 관심을 가지게 되었다. 바로 애이다 러브레이스다.

애이다 러브레이스는 1815년 런던에서 태어났다. 그녀는 영국의 유명한 시인, 로드 바이런의 딸로, 어머니인 앤 이사벨라 밀뱅크는 딸이 아버지와 같은 시인이 되지 않도록 하기 위해 과학과 수학 교육에 힘썼다. 그 결과, 애이다는 수학과 과학에 뛰어난 재능을 보이게되었다.

배비지의 해석엔진은 매우 복잡한 구조를 가지고 있다

애이다 러브레이스는 17세 때 배비지의 강연을 듣고 큰 감명을 받았다. 이후 그녀는 배비지와 교류를 시작했고, 그의 해석 엔진에 대한 연구에 깊이 관여하게 되었다. 애이다는 배비지의 해석 엔진에 대한 설명서를 번역하면서, 자신의 해석과 주석을 추가했다. 그녀의 주석은 원문보다 세 배나 길었고, 이 안에는 오늘날 우리가 ′프로그래밍′이라고 부르는 개념이 담겨 있었다.

애이다 러브레이스는 해석 엔진이 단순히 수학 계산을 넘어서, 다양한 작업을 자동으로 수행할 수 있는 가능성을 지니고 있다고 보았다. 그녀는 해석 엔진이 음악을 작곡하거나, 그림을 그리는 등의 창의적인 작업도 할 수 있을 것이라고 예측했다. 이러한 예측은 당시로서는 매우 혁신적이고 미래지향적인 생각이었다.

애이다 러브레이스의 가장 중요한 업적 중 하나는 바로 '루프'와 '서브루틴' 개념을 도입한 것이다. 그녀는 해석 엔진이 반복적인 작업을 자동으로 처리할 수 있는 방법을 제안했고, 이를 통해 복잡한 계산을 효율적으로 수행할 수 있었다. 또한, 그녀는 특정 작업을 반복해서 사용할 수 있는 서브루틴 개념을 제시하여, 현대 프로그래밍의 기초를 마련했다.

배비지와 러브레이스의 협력은 비록 해석 엔진이 완성되지 않았지만, 그들의 아이디어는 이후 컴퓨터 과학의 발전에 큰 영향을 미쳤다. 그들은 컴퓨터가 단순한 계산 도구를 넘어, 다양한 작업을 자동으로 처리할 수 있는 가능성을 열어주었다. 배비지의 기계적 설계와 러브레이스의 프로그래밍 개념은 오늘날 우리가 사용하는 컴퓨터의 기초가 되었다.

찰스 배비지와 애이다 러브레이스의 이야기는 혁신과 창의성, 그리고 끈기의 이야기이다. 그들은 어려운 환경 속에서도 새로운 아이디어를 추구하고, 이를 현실로 만들기 위해 노력했다. 그들의 이야기를 통해 우리는 컴퓨터 과학의 기초를 이해하고, 앞으로의 발전을 예측할 수 있는 중요한 단서를 얻을 수 있다.

이제 우리는 제2차 세계 대전 시기로 넘어가, 앨런 튜링과 그의 업적을 살펴볼 것이다. 튜링은 암호 해독기와 튜링 기계라는 개념을 통해 현대 컴퓨터 과학의 기초를 확립한 인물이다. 다음 장에서는 그의 흥미진진한 이야기를 다루어보자.

제4장 제2차 세계대전과 컴퓨터의 발달

    제2차 세계 대전은 많은 기술적 혁신을 불러온 시기였다. 그 중에서도 특히 컴퓨터 기술의 발전은 눈부셨다. 전쟁 중에는 정확하고 빠른 계산이 필요했고, 이를 위해 새로운 기계들이 개발되었다. 이 장에서는 제2차 세계 대전 당시의 컴퓨터 발전과 그 중심에 있었던 앨런 튜링, 콜로서스, 그리고 에니악에 대해 알아보자.

    앨런 튜링은 현대 컴퓨터 과학의 아버지로 불리는 인물이다. 1912년 영국 런던에서 태어난 그는 어릴 때부터 수학에 뛰어난 재능을 보였다. 케임브리지 대학교와 프린스턴 대학교에서 수학을 전공한 후, 그는 제2차 세계 대전 중 영국 정부의 암호 해독 기관인 블렛칠리 파크에서 일하게 되었다. 그의 임무는 독일의 암호 기계인 에니그마를 해독하는 것이었다.

에니그마 기계는 독일 군대가 사용하던 암호화 기계로, 매일 암호 설정이 변경되어 해독이 매우 어려웠다. 튜링은 이 복잡한 암호를 해독하기 위해 '봄베'라는 기계를 개발했다. 봄베는 수많은 가능성을 빠르게 계산하여 올바른 암호 키를 찾아내는 기계였다. 튜링의 봄베 덕분에 영국은 독일의 중요한 통신을 해독할 수 있었고, 이는 전쟁의 판도를 바꾸는 데 큰 역할을 했다.

한 가지 흥미로운 일화로, 블렛칠리 파크에서 근무하던 튜링은 매우 독특한 성격을 가지고 있었다고 전해진다. 그는 자전거로 출퇴근을 하면서 매일 같은 경로로 이동했는데, 특정 시간이 되면 자전거 체인이 빠지는 것을 알고 일부러 시간을 맞춰 출발했다고 한다. 또한, 그는 커피 한 잔을 만들기 위해 자신의 커피컵을 자물쇠로 잠그고 다녔다는 이야기도 있다. 이런 독특한 성격은 그의 창의성과 문제 해결 능력에 기여했을 것이다.

튜링의 또 다른 중요한 업적은 '튜링 기계' 개념의 제안이다. 튜링 기계는 현대 컴퓨터의 논리적 구조를 설명하는 모델로, 어떠한 계산도 수행할 수 있는 기계의 이론적 모델이다. 이 개념은 컴퓨터 과학의 기초가 되었고, 오늘날 우리가 사용하는 컴퓨터의 기본 원리를 설명하는 데 사용된다.

제2차 세계 대전 중 또 다른 중요한 발명품은 '콜로서스'이다. 콜로서스는 세계 최초의 프로그래밍 가능한 전자식 디지털 컴퓨터로, 영국의 암호 해독 기관에서 개발되었다. 콜로서스는 독일의 암호화

된 통신을 해독하기 위해 개발되었으며, 튜링의 봄베와 함께 사용되었다. 콜로서스는 진공관을 사용하여 전자 신호를 처리했으며, 이를 통해 매우 빠른 속도로 암호를 해독할 수 있었다.

콜로서스의 개발은 당시로서는 비밀이었고, 전쟁이 끝난 후에도 오랫동안 비밀로 남아 있었다. 하지만 콜로서스는 현대 컴퓨터 과학의 발전에 큰 기여를 했으며, 오늘날 우리가 사용하는 컴퓨터의 많은 부분이 콜로서스의 개념을 기반으로 하고 있다.

콜로서스는 제2차 세계 대전 동안 암호 해독을 위해 사용된
세계 최초의 프로그래밍 가능한 전자식 디지털 컴퓨터이다

전쟁이 끝난 후, 콜로서스의 존재는 비밀로 남아 있었지만, 미국에서는 또 다른 중요한 컴퓨터가 개발되었다. 바로 '에니악'이다. 에니악은 전자식 통합 계산기(Electronic Numerical Integrator and

Computer)의 약자로, 미국 펜실베이니아 대학교에서 개발되었다. 에니악은 처음으로 범용 컴퓨터로 사용될 수 있는 기계였다.

에니악은 18,000개의 진공관을 사용하여 매우 빠른 계산을 수행할 수 있었다. 에니악의 개발자들은 전쟁 중 미군의 포탄 궤적을 계산하는 데 사용하기 위해 이 기계를 개발했지만, 전쟁이 끝난 후에는 과학 연구와 공학 분야에서도 널리 사용되었다. 에니악의 놀라운 계산 능력은 당시로서는 혁명적이었다.

에니악의 개발 과정에서 발생한 흥미로운 일화 중 하나는, 기계를 프로그래밍하는 방법에 관한 것이다. 에니악을 프로그래밍하기 위해서는 수많은 케이블을 연결하고 스위치를 조작해야 했다. 이 작업은 매우 복잡하고 시간이 많이 걸렸지만, 프로그래머들은 이 과정을 통해 에니악을 다양한 문제를 해결할 수 있는 강력한 도구로 만들었다. 이때 프로그래밍을 담당했던 여성들은 '에니악 걸즈'라고 불리며, 이들의 기여는 후에 컴퓨터 과학 역사에서 중요한 역할을 하게 된다.

제2차 세계 대전 동안 개발된 이 혁신적인 컴퓨터들은 전쟁의 결과를 크게 바꾸었고, 전쟁 후에도 컴퓨터 과학의 발전에 중요한 기여를 했다. 튜링의 봄베와 튜링 기계, 콜로서스, 그리고 에니악은 모두 현대 컴퓨터의 기초를 형성했다. 이들의 발명과 아이디어는 이후 수십 년 동안 컴퓨터 과학의 발전에 큰 영향을 미쳤다.

전쟁이 끝난 후, 튜링은 컴퓨터 과학 연구를 계속하며 새로운 개념과 이론을 제시했다. 그는 인공지능의 가능성에 대해 논의하면서

'튜링 테스트'라는 개념을 제안했다. 튜링 테스트는 기계가 인간과 얼마나 비슷하게 대화할 수 있는지를 평가하는 테스트로, 오늘날 인공지능 연구에서 여전히 중요한 기준으로 사용되고 있다.

튜링의 삶은 비극적이기도 했다. 그는 동성애자라는 이유로 법적 처벌을 받았고, 그로 인해 심한 정신적 고통을 겪었다. 결국 그는 1954년 42세의 나이로 생을 마감했다. 그의 업적과 공헌은 이후에야 제대로 평가받기 시작했으며, 오늘날 그는 컴퓨터 과학의 선구자로서 존경받고 있다.

이제 우리는 트랜지스터와 마이크로프로세서의 탄생으로 넘어가, 컴퓨터가 어떻게 더 작고 강력해졌는지, 그리고 개인용 컴퓨터의 시대가 어떻게 열렸는지를 살펴볼 것이다. 다음 장에서는 트랜지스터와 마이크로프로세서의 발명, 그리고 그들이 현대 컴퓨터에 미친 영향을 다루어보자.

제5장 트렌지스터와 마이크로프로세스의 탄생

제2차 세계 대전이 끝난 후, 컴퓨터 과학은 빠르게 발전하기 시작했다. 전쟁 동안 개발된 거대한 컴퓨터들은 매우 강력했지만, 크기가 너무 커서 일반인이 사용할 수 없었다. 그러나 1947년에 일어난 한 발명은 컴퓨터의 크기와 성능을 혁신적으로 바꾸었다. 바로 트랜지스터의 발명이다.

트랜지스터는 벨 연구소의 윌리엄 쇼클리, 존 바딘, 월터 브래튼에 의해 발명되었다. 트랜지스터는 전자의 흐름을 조절할 수 있는 소형 장치로, 진공관보다 훨씬 작고, 더 적은 전력을 소비하며, 더 빠르게 작동할 수 있었다. 이를 쉽게 이해하기 위해, 트랜지스터를 전등 스위치에 비유해보자. 진공관은 큰 스위치처럼 작동하며, 전기가 흐르거나 흐르지 않게 조절한다. 그러나 트랜지스터는 아주 작은 스위치로, 더 적은 전력으로 더 빠르게 전기를 조절할 수 있다. 이는 컴퓨터의 크기를 줄이고 성능을 향상시키는 데 큰 역할을 했다.

트렌지스터의 발명은 컴퓨터 소형화에 매우 크게 기여했다

트랜지스터의 발명 이후, 컴퓨터는 점점 더 작고 효율적으로 변해 갔다. 1950년대와 1960년대에는 트랜지스터를 사용한 컴퓨터가 등장하기 시작했다. 이 시기에 가장 주목할 만한 컴퓨터 중 하나는 IBM 1401이었다. IBM 1401은 트랜지스터를 사용한 최초의 상업용 컴퓨터 중 하나로, 기업과 정부 기관에서 널리 사용되었다. 이 컴퓨터는 빠르고 정확한 계산을 가능하게 했으며, 컴퓨터의 상업적 사용을 촉진하는 데 큰 역할을 했다.

IBM 1401은 기업들이 재고 관리, 급여 계산, 회계 처리 등 다양한 업무를 자동화할 수 있게 해주었다. 이는 기업의 효율성을 크게 향상시켰고, 컴퓨터의 상업적 활용 가능성을 입증했다. IBM 1401의 성공은 컴퓨터가 단순한 과학 도구를 넘어, 비즈니스와 일상 생활의 필수 도구로 자리잡게 되는 데 기여했다.

트랜지스터는 컴퓨터의 발전에 중요한 역할을 했지만, 진정한 혁신은 1970년에 일어났다. 인텔의 엔지니어인 테드 호프와 페더리코 페긴, 마르시안 호프먼은 세계 최초의 마이크로프로세서인 인텔 4004를 개발했다. 마이크로프로세서는 컴퓨터의 중앙 처리 장치(CPU)를 단일 칩에 집적한 것으로, 컴퓨터의 성능을 획기적으로 향상시켰다. 이를 쉽게 이해하기 위해, 마이크로프로세서를 주방의 모든 조리기구를 하나의 멀티쿠커에 통합한 것에 비유해보자. 기존에는 각각의 기능을 담당하는 여러 기구가 필요했지만, 이제는 하나의 기구로 모든 기능을 수행할 수 있게 된 것이다.

인텔 4004는 2300개의 트랜지스터를 포함하고 있었으며, 초당 수천 개의 명령을 처리할 수 있었다. 이 작은 칩 하나가 컴퓨터의 두뇌 역할을 할 수 있게 되면서, 컴퓨터는 더욱 작고 저렴해졌다. 마이크로프로세서의 발명은 개인용 컴퓨터의 시대를 여는 중요한 계기가 되었다.

마이크로프로세서의 발전은 컴퓨터의 상업적 성공을 더욱 촉진했다. 인텔은 4004 이후 더욱 강력한 프로세서를 개발하기 위해 노력했고, 1974년에는 인텔 8080을 출시했다. 인텔 8080은 더욱 빠르고 강력한 성능을 제공하여, 개인용 컴퓨터와 산업용 기계에서 널리 사용되었다. 이 프로세서는 컴퓨터 역사에서 중요한 이정표가 되었으며, 이후 모든 마이크로프로세서의 표준이 되었다.

제6장 개인용 컴퓨터의 등장

　1970년대 후반과 1980년대 초반, 컴퓨터 기술은 빠르게 발전하며 일반 대중에게 접근할 수 있는 개인용 컴퓨터의 시대를 열었다. 이 시기에 등장한 개인용 컴퓨터는 우리의 일상 생활을 혁신적으로 변화시켰다. 이 장에서는 애플, IBM, 마이크로소프트 등 주요 기업들이 어떻게 개인용 컴퓨터 혁명을 이끌었는지를 살펴보자.

　개인용 컴퓨터 혁명의 시작은 스티브 잡스와 스티브 워즈니악에 의해 이루어졌다. 그들은 1976년 애플 컴퓨터 회사를 설립하고, 세계 최초의 개인용 컴퓨터 중 하나인 애플 I을 개발했다. 애플 I은 마이크로프로세서를 사용하여 소형화와 저렴한 가격을 실현했다. 이 컴퓨터는 키트 형태로 판매되었고, 사용자가 직접 조립해야 했다. 하지만 애플 I은 개인용 컴퓨터의 가능성을 보여주었고, 이후 애플 II의 탄생으로 이어졌다.

애플 II는 1977년에 출시되었으며, 개인용 컴퓨터 시장에서 큰 성공을 거두었다. 애플 II는 컬러 그래픽과 사운드를 지원하며, 사용자가 쉽게 사용할 수 있는 인터페이스를 제공했다. 또한, 애플 II는 다양한 소프트웨어를 실행할 수 있는 플랫폼으로서, 사용자들이 다양한 프로그램을 사용할 수 있게 해주었다. 애플 II는 학교와 가정에서 널리 사용되었으며, 많은 사람들이 처음으로 컴퓨터를 접하게 되는 계기가 되었다.

현대적 컴퓨터의 모습을 뛰게 된 애플2

애플의 성공은 다른 기업들에게도 영감을 주었다. IBM은 개인용 컴퓨터 시장에 진출하기로 결정하고, 1981년에 자사의 첫 번째 개인용 컴퓨터인 IBM PC를 출시했다. IBM PC는 인텔의 마이크로프로세서를 사용하였으며, 마이크로소프트의 MS-DOS 운영 체제를 탑재했다. IBM PC는 강력한 성능과 유연성을 제공하여, 개인용 컴퓨터 시장에서 큰 성공을 거두었다.

IBM PC는 비즈니스 환경에서 특히 인기가 있었다. 기업들은 IBM PC를 사용하여 문서 작성, 스프레드시트 계산, 데이터베이스 관리 등 다양한 업무를 처리할 수 있었다. 이는 기업의 생산성을 크게 향상시켰고, 컴퓨터가 비즈니스 세계에서 필수적인 도구로 자리잡게 했다. IBM PC의 성공은 다른 기업들도 개인용 컴퓨터 시장에 뛰어들게 만들었다.

IBM PC의 성공에 큰 기여를 한 마이크로소프트는 운영 체제 시장에서 중요한 역할을 했다. 마이크로소프트는 MS-DOS 운영 체제를 통해 IBM PC에 소프트웨어를 제공하였으며, 이는 마이크로소프트의 성장을 촉진시켰다. 이후 마이크로소프트는 그래픽 사용자 인터페이스(GUI)를 제공하는 윈도우 운영 체제를 개발하여, 컴퓨터 사용의 편의성을 크게 향상시켰다.

윈도우 운영 체제는 사용자가 마우스를 사용하여 그래픽 인터페이스를 통해 컴퓨터를 조작할 수 있게 해주었다. 이는 컴퓨터 사용의 편의성을 크게 향상시켰으며, 더 많은 사람들이 컴퓨터를 사용할 수 있게 만들었다. 윈도우의 성공은 마이크로소프트를 세계적인 기업으로 성장시키는 데 큰 역할을 했다. 윈도우 3.0의 출시와 함께 마이크로소프트는 운영 체제 시장에서 확고한 위치를 차지하게 되었다.

개인용 컴퓨터 시장은 애플과 IBM의 경쟁으로 더욱 활성화되었다. 애플은 1984년 매킨토시 컴퓨터를 출시하여, 개인용 컴퓨터 시장에서 새로운 혁신을 일으켰다. 매킨토시는 그래픽 사용자 인터페이스와 마우스를 사용하여, 사용자가 컴퓨터를 더욱 직관적으로 조작할 수 있게 해주었다. 또한, 매킨토시는 고해상도 디스플레이와 함께 제공되어, 그래픽 작업과 디자인에서 강력한 성능을 발휘했다.

매킨토시의 출시 광고는 당시 매우 혁신적이었다. "1984"라는 제목의 이 광고는 조지 오웰의 소설 "1984"를 패러디한 것으로, 애플이 컴퓨터 시장의 독점을 깨뜨리고 자유를 가져올 것이라는 메시지를 담고 있었다. 이 광고는 슈퍼볼 중계 시간에 방영되어 큰 화제를 모았으며, 애플의 브랜드 이미지와 매킨토시의 인지도를 높이는 데 큰 기여를 했다.

1980년대 후반과 1990년대 초반에는 다양한 소프트웨어와 게임들이 개발되며, 개인용 컴퓨터의 활용 범위가 더욱 넓어졌다. 워드 프로세서, 스프레드시트, 데이터베이스 소프트웨어 등 생산성 도구들이 개발되어, 기업과 개인 사용자들이 컴퓨터를 다양한 용도로 사용할 수 있게 되었다. 또한, 다양한 게임들이 개발되어, 컴퓨터가 엔터테인먼트 도구로서도 중요한 역할을 하게 되었다.

한편, 컴퓨터 네트워킹 기술도 발전하면서, 개인용 컴퓨터는 인터넷에 연결될 수 있게 되었다. 이는 정보 접근과 소통 방식을 혁신적으로 변화시켰다. 인터넷의 등장과 함께, 이메일, 웹 브라우저, 온라인 쇼핑 등이 가능해졌으며, 이는 개인용 컴퓨터의 중요성을 더욱 부각시켰다. 인터넷은 전 세계를 하나로 연결하는 거대한 네트워크로서, 정보와 지식의 공유를 촉진하고, 새로운 비즈니스 모델을 창출하는 데 큰 역할을 했다.

애플, IBM, 마이크로소프트 등 주요 기업들이 이끈 개인용 컴퓨터 혁명은 우리의 일상 생활을 근본적으로 변화시켰다. 우리는 이제 컴퓨터를 사용하여 업무를 처리하고, 정보를 검색하고, 친구들과 소통하며, 엔터테인먼트를 즐길 수 있게 되었다. 개인용 컴퓨터는 우리의 삶의 모든 측면에서 중요한 도구로 자리잡게 되었으며, 앞으로도 계속해서 우리의 생활 방식을 혁신적으로 변화시킬 것이다.

이제 우리는 인터넷의 탄생과 발전에 대해 살펴볼 것이다. 다음 장에서는 인터넷이 어떻게 탄생하고 발전했는지, 그리고 월드 와이드 웹이 어떻게 세상을 연결했는지를 다루어보자.

제7장 인터넷의 탄생과 발전

인터넷은 현대 사회에서 가장 혁신적인 발명 중 하나로 꼽힌다. 인터넷은 전 세계를 하나로 연결하는 거대한 네트워크로, 우리의 일상생활을 혁신적으로 변화시켰다. 이 장에서는 인터넷의 초기 역사, 아르파넷의 탄생, 월드 와이드 웹의 발명과 발전 과정, 그리고 인터넷이 우리의 일상에 미친 영향을 다루어보자.

인터넷의 역사는 1960년대로 거슬러 올라간다. 당시 미국 국방부는 소련과의 냉전 상황에서 통신 네트워크의 중요성을 깨닫고, 보다 신뢰성 있는 통신망을 개발하기 위해 ARPA(Advanced Research Projects Agency)를 설립했다. ARPA는 후에 DARPA(Defense Advanced Research Projects Agency)로 이름이

변경되었다. 이 기관은 연구자들에게 컴퓨터를 통해 데이터를 공유
할 수 있는 네트워크를 개발하는 임무를 부여했다.

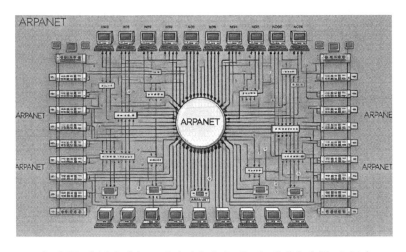

아르파넷은 인터넷의 전신으로, 초기 연결 지도는 네트워크의 확장 과정을 보여준다

1969년, ARPA는 첫 번째 컴퓨터 네트워크인 아르파넷
(ARPANET)을 구축했다. 아르파넷은 캘리포니아 대학교 로스앤젤
레스(UCLA), 스탠포드 연구소(SRI), 캘리포니아 대학교 산타바바
라(UCSB), 유타 대학교(University of Utah) 사이에 연결되었다.
아르파넷의 첫 번째 메시지는 UCLA에서 SRI로 전송되었는데, 그
메시지는 간단히 "LO"였다. 원래 메시지는 "LOGIN"이었지만, 시
스템 오류로 인해 첫 두 글자만 전송된 것이다. 이 작은 사건이
인터넷의 시작을 알린 것이다.

아르파넷의 초기 성공 이후, 네트워크 기술은 빠르게 발전했다.

TCP/IP(Transmission Control Protocol/Internet Protocol)라는 새로운 프로토콜이 개발되었고, 이는 다양한 네트워크 간의 통신을 가능하게 했다. 1983년, TCP/IP 프로토콜이 아르파넷에 공식적으로 도입되면서, 인터넷의 기초가 확립되었다. TCP/IP는 오늘날까지도 인터넷의 기본 통신 프로토콜로 사용되고 있다.

1980년대에는 인터넷의 사용이 학계와 연구 기관을 넘어 일반 대중에게 확산되기 시작했다. 이 과정에서 가장 중요한 역할을 한 인물 중 하나가 팀 버너스리이다. 그는 1989년 스위스의 유럽입자물리연구소(CERN)에서 일하면서, 전 세계의 연구자들이 정보를 쉽게 공유할 수 있는 시스템을 개발하기 시작했다. 그의 목표는 문서와 데이터를 하이퍼텍스트 링크로 연결하여 쉽게 접근하고 검색할 수 있는 시스템을 만드는 것이었다.

1990년, 팀 버너스리는 월드 와이드 웹(World Wide Web)을 발명했다. 월드 와이드 웹은 하이퍼텍스트 문서 시스템으로, 사용자가 브라우저를 통해 문서 간의 링크를 클릭하여 정보를 검색할 수 있게 해주었다. 1991년, 첫 번째 웹사이트가 공개되었고, 이는 오늘날 우리가 알고 있는 웹의 시작이었다. 월드 와이드 웹의 발명은 인터넷 사용을 혁신적으로 변화시켰다.

월드 와이드 웹의 등장과 함께, 웹 브라우저도 개발되기 시작했다. 최초의 웹 브라우저는 팀 버너스리가 개발한 월드와이드웹(WorldWideWeb)이었다. 그러나 넷스케이프 내비게이터(Netscape Navigator)와 마이크로소프트의 인터넷 익스플로러(Internet

Explorer)가 등장하면서, 웹 브라우저 시장은 급속히 성장했다. 이들 브라우저는 사용자들이 더 쉽게 웹에 접근할 수 있게 해주었으며, 웹의 대중화를 촉진했다.

1990년대 중반, 인터넷 사용이 폭발적으로 증가하면서, 다양한 웹사이트와 온라인 서비스가 등장했다. 이메일, 채팅, 전자 상거래, 온라인 게임 등 다양한 서비스가 제공되면서, 인터넷은 우리 생활의 필수적인 부분이 되었다. 이 시기에 아마존, 이베이, 야후, 구글 등 인터넷 기반의 기업들이 설립되었고, 이들은 인터넷 경제의 성장을 이끌었다.

인터넷은 정보 접근과 소통 방식을 혁신적으로 변화시켰다. 우리는 이제 언제 어디서나 정보를 검색하고, 전 세계의 사람들과 소통하며, 다양한 서비스를 이용할 수 있게 되었다. 인터넷은 교육, 의료, 비즈니스, 엔터테인먼트 등 모든 분야에서 큰 변화를 가져왔다. 예를 들어, 인터넷을 통해 학생들은 다양한 온라인 강의를 듣고, 원격 교육을 받을 수 있게 되었으며, 의사들은 원격 진료를 통해 환자들을 치료할 수 있게 되었다.

인터넷의 발전은 또한 소셜 미디어의 탄생으로 이어졌다. 2000년대 중반, 페이스북, 트위터, 인스타그램 등 소셜 미디어 플랫폼이 등장하면서, 사람들은 더 쉽게 서로 연결되고 정보를 공유할 수 있게 되었다. 소셜 미디어는 우리의 소통 방식을 근본적으로 변화시켰으며, 정보와 뉴스의 유통 방식을 혁신적으로 바꾸었다.

인터넷은 또한 다양한 새로운 비즈니스 모델을 창출했다. 전자 상거래는 인터넷을 통해 제품과 서비스를 판매하는 방식을 혁신적으로 변화시켰다. 아마존과 같은 기업은 인터넷을 통해 전 세계에 제품을 판매하며, 고객들은 집에서 편리하게 쇼핑을 할 수 있게 되었다. 또한, 인터넷은 디지털 콘텐츠의 유통을 가능하게 하여, 음악, 영화, 책 등의 디지털 파일을 쉽게 구매하고 다운로드할 수 있게 했다.

인터넷의 발전은 또한 보안과 개인정보 보호 문제를 제기했다. 인터넷을 통한 데이터 전송과 저장이 일반화되면서, 사이버 범죄와 해킹, 개인정보 유출 등의 문제가 발생하게 되었다. 이에 따라, 보안 기술과 개인정보 보호 법규가 발전하고 있으며, 사용자들은 자신의 정보를 보호하기 위해 더 많은 주의를 기울여야 한다.

오늘날 인터넷은 우리의 일상 생활에서 없어서는 안 될 중요한 도구가 되었다. 우리는 인터넷을 통해 정보를 검색하고, 친구들과 소통하며, 업무를 처리하고, 엔터테인먼트를 즐길 수 있다. 인터넷은 우리의 삶을 혁신적으로 변화시켰으며, 앞으로도 계속해서 우리 사회에 큰 영향을 미칠 것이다.

이제 우리는 소프트웨어 혁명으로 넘어가, 컴퓨터 소프트웨어가 어떻게 발전하고 혁신을 이끌어왔는지 살펴볼 것이다. 다음 장에서는 마이크로소프트, 리눅스, 오픈 소스 운동 등 소프트웨어의 발전과 혁신에 대해 다루어보자.

제8장 소프트웨어 혁명

컴퓨터 하드웨어가 점점 더 작아지고 강력해지는 동안, 소프트웨어 역시 급속도로 발전하며 컴퓨터 혁명을 이끌었다. 소프트웨어는 컴퓨터가 작동하는 방식을 정의하고, 사용자가 컴퓨터와 상호작용할 수 있게 해주는 중요한 요소이다. 이 장에서는 소프트웨어의 발전과 혁신, 그리고 소프트웨어 산업을 주도한 주요 기업과 운동을 살펴보자.

1970년대와 1980년대는 소프트웨어 산업의 탄생과 초기 발전기를 대표한다. 이 시기에 가장 중요한 역할을 한 기업 중 하나가 바로 마이크로소프트이다. 빌 게이츠와 폴 앨런은 1975년 마이크로소프트를 설립하고, Altair 8800이라는 초기 개인용 컴퓨터를 위한 소프트웨어를 개발했다. 그들의 첫 번째 제품은 Altair BASIC이라는 프로그래밍 언어 인터프리터였다. 이 소프트웨어는 컴퓨터 프로그래밍을 쉽게 만들어주어, 개인용 컴퓨터의 활용을 크게 확장시켰다.

마이크로소프트는 1981년 IBM PC의 운영 체제로 MS-DOS를 제공하며 큰 성공을 거두었다. MS-DOS는 명령어 기반의 운영 체제로, 사용자들이 명령어를 입력하여 컴퓨터를 제어할 수 있게 해주었다. MS-DOS의 성공은 마이크로소프트를 세계적인 소프트웨어 기업으로 성장시키는 중요한 계기가 되었다. 하지만 마이크로소프트의 진정한 혁신은 1985년 윈도우 운영 체제를 출시하면서 이루어졌다. 윈도우는 그래픽 사용자 인터페이스(GUI)를 제공하여, 사용자가 마우스를 사용하여 아이콘과 창을 클릭하는 방식으로 컴퓨터를 조작할 수 있게 해주었다. 이는 컴퓨터 사용의 편의성을 크게 향상시켰으며, 더 많은 사람들이 컴퓨터를 사용할 수 있게 만들었다. 윈도우의 성공은 마이크로소프트를 세계적인 소프트웨어 기업으로 성장시키는 데 큰 역할을 했다.

윈도우 3.0과 이후의 버전들은 점점 더 발전된 기능과 성능을 제공하며, 전 세계 수백만 대의 컴퓨터에 설치되었다. 윈도우는 비즈니스 환경에서 특히 인기가 있었으며, 기업들은 윈도우를 사용하여 문서 작성, 스프레드시트 계산, 데이터베이스 관리 등 다양한 업무를 처리할 수 있었다. 이는 기업의 생산성을 크게 향상시켰고, 컴퓨터가 비즈니스 세계에서 필수적인 도구로 자리잡게 했다. 윈도우

95의 출시는 또 다른 중요한 전환점이었다. 윈도우 95는 사용자가 직관적으로 사용할 수 있는 시작 메뉴, 작업 표시줄, 파일 탐색기 등을 제공하며, 현대 운영 체제의 표준을 확립했다. 윈도우 95는 인터넷 익스플로러 웹 브라우저를 포함하여, 사용자가 인터넷에 쉽게 접속할 수 있게 해주었다. 이는 인터넷 사용의 대중화를 촉진하는 데 큰 역할을 했다.

마이크로소프트 오피스(Microsoft Office)는 워드, 엑셀, 파워포인트 등의 생산성 도구를 제공하여, 사용자들이 문서 작성, 데이터 분석, 프레젠테이션 등을 쉽게 수행할 수 있게 해주었다. 이러한 소프트웨어들은 비즈니스와 교육, 개인 생활에서 필수적인 도구로 자리 잡게 되었다. 마이크로소프트 오피스는 다양한 기능과 사용 편의성으로 인해 전 세계적으로 널리 사용되었다.

한편, 1991년 리누스 토르발스라는 핀란드의 대학생이 리눅스(Linux)라는 운영 체제를 개발하기 시작했다. 리눅스는 유닉스(Unix) 운영 체제를 기반으로 하여 만들어졌으며, 오픈 소스 소프트웨어로 배포되었다. 오픈 소스 소프트웨어는 소스 코드를 공개하여 누구나 수정하고 배포할 수 있게 하는 소프트웨어를 말한다. 리눅스는 처음에는 토르발스 개인 프로젝트로 시작되었지만, 곧 전 세계 개발자들의 협력으로 빠르게 발전하게 되었다.

리눅스는 무료로 배포되었으며, 누구나 소스 코드를 다운로드하여 수정하고 배포할 수 있었다. 이는 소프트웨어 개발의 새로운 패러다임을 제시한 것으로, 전 세계 개발자들이 협력하여 소프트웨어를 발전시키는 오픈 소스 운동을 촉진했다. 리눅스는 안정성과 보안성이 뛰어나 서버 운영 체제로 널리 사용되었으며, 다양한 디바이스와 플랫폼에서 채택되었다. 리눅스의 성공은 오픈 소스 운동의 중요한 이정표가 되었다. 오픈 소스 운동은 소프트웨어 개발의 투명성과 협력을 강조하며, 소프트웨어의 품질과 보안을 향상시키는 데 큰 역할을 했다. 다양한 오픈 소스 프로젝트들이 등장하면서, 많은 기업과 개발자들이 오픈 소스 소프트웨어를 채택하고 기여하게 되었다. 대표적인 오픈 소스 프로젝트로는 아파치(Apache) 웹 서버, 모질라 파이어폭스(Mozilla Firefox) 웹 브라우저, 오픈 오피스(OpenOffice) 생산성 소프트웨어 등이 있다.

1990년대와 2000년대 초반에는 다양한 소프트웨어 애플리케이션들이 개발되며, 컴퓨터의 활용 범위가 더욱 넓어졌다. 마이크로소프트 오피스(Microsoft Office)는 워드, 엑셀, 파워포인트 등의 생산성 도구를 제공하여, 사용자들이 문서 작성, 데이터 분석, 프레젠테이션 등을 쉽게 수행할 수 있게 해주었다. 이러한 소프트웨어들은 비즈니스와 교육, 개인 생활에서 필수적인 도구로 자리잡게 되었다.

또한, 인터넷의 발전과 함께 웹 애플리케이션도 급속히 발전하였다. 이메일 서비스, 웹 브라우저, 전자 상거래 플랫폼 등이 등장하면서, 인터넷은 우리의 일상 생활에서 중요한 역할을 하게 되었다. 웹 애플리케이션은 사용자가 인터넷을 통해 다양한 서비스를 이용할 수 있게 해주었으며, 이는 인터넷 경제의 성장을 촉진했다. 1990년대 중반, 넷스케이프 내비게이터(Netscape Navigator)와 마이크로소프트의 인터넷 익스플로러(Internet Explorer)가 등장하면서, 웹 브라우저 시장은 급속히 성장했다. 이들 브라우저는 사용자들이 더 쉽게 웹에 접근할 수 있게 해주었으며, 웹의 대중화를 촉진했다. 인터넷 익스플로러는 윈도우 운영 체제와 함께 배포되면서 빠르게 시장 점유율을 높여갔다.

전자 상거래는 인터넷을 통해 제품과 서비스를 판매하는 방식을 혁신적으로 변화시켰다. 아마존과 같은 기업은 인터넷을 통해 전 세계에 제품을 판매하며, 고객들은 집에서 편리하게 쇼핑을 할 수 있게 되었다. 또한, 인터넷은 디지털 콘텐츠의 유통을 가능하게 하여, 음악, 영화, 책 등의 디지털 파일을 쉽게 구매하고 다운로드할 수 있게 했다.

소프트웨어 혁명은 우리의 일상 생활과 업무 방식을 혁신적으로 변화시켰다. 우리는 이제 소프트웨어를 사용하여 문서를 작성하고, 데이터를 분석하며, 친구들과 소통하고, 다양한 엔터테인먼트를 즐길 수 있다. 소프트웨어는 우리의 삶의 모든 측면에서 중요한 역할을 하게 되었으며, 앞으로도 계속해서 우리의 생활 방식을 혁신적으로 변화시킬 것이다. 소프트웨어의 발전은 여기서 멈추지 않는다. 인공지능, 머신 러닝, 클라우드 컴퓨팅 등 새로운 기술들이 계속해서 등장하고 있으며, 이는 소프트웨어의 기능과 활용 범위를 더욱 확장시키고 있다. 예를 들어, 인공지능 기술을 통해 소프트웨어는 더 똑똑하고, 더 효율적으로 작동할 수 있게 되었다. 우리는 이제 인공지능 비서와 대화하고, 데이터 분석을 자동화하며, 복잡한 문제를 해결할 수 있는 소프트웨어를 사용할 수 있게 되었다.

클라우드 컴퓨팅은 소프트웨어와 데이터를 중앙 서버에 저장하고, 인터넷을 통해 접근할 수 있게 해주는 기술이다. 이는 사용자가 언제 어디서나 필요한 소프트웨어와 데이터에 접근할 수 있게 해주며, 기업들은 클라우드 서비스를 통해 비용을 절감하고 효율성을 높일 수 있게 되었다. 아마존 웹 서비스(AWS), 마이크로소프트 애저(Microsoft Azure), 구글 클라우드(Google Cloud) 등 주요 클라우드 서비스 제공자들은 클라우드 컴퓨팅의 발전을 이끌고 있다.

소프트웨어 혁명은 단순한 기술 혁신을 넘어서, 인간의 삶을 근본적으로 변화시켰다. 우리는 이제 언제 어디서나 소프트웨어를 사용하여 정보를 검색하고, 친구들과 소통하며, 업무를 처리하고, 엔터테인먼트를 즐길 수 있다. 소프트웨어는 우리의 삶의 모든 측면에서 중요한 역할을 하게 되었으며, 앞으로도 계속해서 우리의 생활 방식을 혁신적으로 변화시킬 것이다.

이제 우리는 모바일 컴퓨팅과 스마트폰의 시대로 넘어가, 휴대용 장치가 어떻게 우리의 생활을 변화시켰는지 살펴볼 것이다. 다음 장에서는 아이폰과 안드로이드의 등장, 그리고 모바일 애플리케이션의 발전을 다루어보자.

제9장 모바일 컴퓨팅과 스마트폰의 시대

2000년대에 들어서면서 컴퓨터 기술은 또 한 번의 큰 변화를 맞이하게 된다. 바로 모바일 컴퓨팅과 스마트폰의 시대가 도래한 것이다. 모바일 컴퓨팅은 우리가 어디서나 컴퓨터를 사용할 수 있게 해주었고, 스마트폰은 우리 생활의 모든 측면을 혁신적으로 변화시켰다. 이 장에서는 아이폰과 안드로이드의 등장, 그리고 모바일 애플리케이션의 발전을 다루어보자.

스마트폰의 혁명은 2007년 애플이 첫 번째 아이폰을 발표하면서 시작되었다. 스티브 잡스는 아이폰을 "손 안의 컴퓨터"로 소개하며, 전화 기능뿐만 아니라 인터넷 서핑, 이메일, 음악 감상, 사진 촬영 등의 다양한 기능을 제공한다고 강조했다. 아이폰은 터치스크린을 사용하여 직관적인 인터페이스를 제공하며, 사용자가 손가락으로 화면을 조작할 수 있게 했다. 이는 기존의 키패드 기반 휴대폰과는 완전히 다른 사용자 경험을 제공했다.

아이폰의 혁신은 하드웨어에만 국한되지 않았다. 애플은 아이폰을 위한 앱스토어(App Store)를 함께 출시하며, 개발자들이 다양한 애플리케이션을 개발하고 배포할 수 있는 플랫폼을 제공했다. 이는 모바일 소프트웨어 생태계를 완전히 변화시켰다. 사용자는 앱스토어를 통해 필요한 애플리케이션을 다운로드하여 스마트폰을 더욱 유용하게 사용할 수 있게 되었다. 앱스토어의 등장은 모바일 애플리케이션 시장의 폭발적인 성장을 이끌었고, 수많은 개발자와 기업들이 새로운 비즈니스 기회를 모색하게 되었다.

아이폰의 성공 이후, 구글은 2008년 안드로이드 운영 체제를 탑재한 첫 번째 스마트폰을 출시하였다. 안드로이드는 오픈 소스 플랫폼으로, 누구나 자유롭게 사용하고 수정할 수 있었다. 이는 다양한 제조사들이 안드로이드를 기반으로 스마트폰을 개발할 수 있게 하였으며, 시장에 다양한 종류의 안드로이드 스마트폰이 등장하게 되었다. 안드로이드는 빠르게 성장하며 아이폰과 함께 스마트폰 시장을 주도하게 되었다.

안드로이드의 성공은 구글 플레이 스토어의 등장과 함께 더욱 가속화되었다. 구글 플레이 스토어는 애플의 앱스토어와 유사하게, 사용자가 다양한 애플리케이션을 다운로드하여 스마트폰을 더욱 유용하게 사용할 수 있게 해주었다. 구글 플레이 스토어는 개방적인 접근 방식을 통해 더 많은 개발자들이 참여할 수 있게 하였고, 이는 안드로이드 생태계의 성장을 촉진했다.

스마트폰의 발전은 우리의 일상 생활에 큰 변화를 가져왔다. 우리는 이제 언제 어디서나 인터넷에 접속할 수 있게 되었고, 다양한 애플리케이션을 통해 필요한 정보를 얻고, 친구들과 소통하며, 엔터테인먼트를 즐길 수 있게 되었다. 스마트폰은 단순한 통신 도구를 넘어, 우리의 생활을 편리하게 해주는 다목적 도구로 자리잡게 되었다.

모바일 애플리케이션의 발전은 다양한 분야에서 혁신을 이끌었다. 소셜 미디어 애플리케이션은 우리가 친구들과 소통하고, 정보를 공유하는 방식을 혁신적으로 변화시켰다. 페이스북, 트위터, 인스타그램 등 소셜 미디어 플랫폼은 스마트폰을 통해 실시간으로 소통하고, 사진과 동영상을 공유하며, 전 세계의 소식을 빠르게 접할 수 있게 해주었다. 소셜 미디어는 우리의 사회적 상호작용 방식을 근본적으로 변화시켰으며, 정보와 뉴스의 유통 방식을 혁신적으로 바꾸었다.

또한, 스마트폰은 다양한 서비스 애플리케이션을 통해 우리의 생활을 편리하게 해주었다. 지도 애플리케이션은 우리가 새로운 장소를 쉽게 찾고, 길을 안내받을 수 있게 해주었으며, 금융 애플리케이션은 우리가 은행 업무를 쉽게 처리하고, 송금과 결제를 간편하게 할 수 있게 해주었다. 헬스케어 애플리케이션은 우리의 건강을 관리하고, 운동 기록을 추적하며, 건강 목표를 달성하는 데 도움을 주었다.

스마트폰의 발전은 또한 모바일 결제 시스템의 도입을 촉진했다. 애플 페이, 구글 월렛, 삼성 페이 등 모바일 결제 서비스는 스마트폰을 이용하여 간편하고 안전하게 결제를 할 수 있게 해주었다. 이는 상거래의 방식을 혁신적으로 변화시켰으며, 사용자는 지갑을 들고 다닐 필요 없이 스마트폰만으로 결제를 할 수 있게 되었다.

스마트폰의 발전은 또한 디지털 콘텐츠 소비 방식을 변화시켰다. 우리는 이제 스마트폰을 통해 음악, 영화, 책 등을 쉽게 구매하고, 다운로드하여 즐길 수 있게 되었다. 스트리밍 서비스의 등장으로 우리는 언제 어디서나 원하는 콘텐츠를 실시간으로 스트리밍하여 감상할 수 있게 되었다. 이는 음악과 영화 산업에 큰 변화를 가져왔으며, 새로운 비즈니스 모델을 창출하게 되었다.

스마트폰은 또한 다양한 혁신적인 기술을 도입하여 우리의 생활을 더욱 편리하게 만들고 있다. 예를 들어, 증강 현실(AR)과 가상 현실(VR) 기술은 스마트폰을 통해 새로운 경험을 제공하며, 교육, 게임, 쇼핑 등 다양한 분야에서 활용되고 있다. 인공지능(AI) 기술은 스마트폰의 성능을 향상시키고, 사용자의 필요에 맞춘 맞춤형 서비스를 제공하는 데 큰 역할을 하고 있다.

스마트폰의 발전은 우리의 생활 방식을 근본적으로 변화시켰다. 우리는 이제 스마트폰을 통해 실시간으로 소통하고, 필요한 정보를 얻으며, 다양한 서비스를 이용할 수 있게 되었다. 스마트폰은 우리의 생활을 편리하게 해주는 다목적 도구로 자리잡게 되었으며, 앞으로도 계속해서 우리의 생활 방식을 혁신적으로 변화시킬 것이다.

이제 우리는 인공지능과 미래의 컴퓨팅으로 넘어가, 인공지능 기술이 컴퓨터 과학의 발전에 어떻게 기여하고 있는지, 그리고 미래에 어떤 변화를 가져올지를 살펴볼 것이다. 다음 장에서는 초기 인공지능 연구와 발전, 현대의 인공지능 기술, 그리고 미래의 전망을 다루어보자.

제10장 인공지능과 미래의 컴퓨팅

　인공지능(AI)은 컴퓨터 과학의 가장 흥미롭고 혁신적인 분야 중 하나로, 우리의 삶과 사회를 근본적으로 변화시키고 있다. 인공지능은 컴퓨터가 인간처럼 생각하고 학습하며 문제를 해결할 수 있게 하는 기술로, 다양한 분야에서 활발히 연구되고 있다. 이 장에서는 초기 인공지능 연구와 발전, 현대의 인공지능 기술, 그리고 미래의 전망을 다루어보자.

　인공지능의 개념은 1950년대 초반으로 거슬러 올라간다. 영국의 수학자이자 컴퓨터 과학자인 앨런 튜링은 1950년 논문 "Computing Machinery and Intelligence"에서 "기계가 생각할 수 있는가?"라는 질문을 제기했다. 그는 튜링 테스트라는 개념을 제안하여, 기계가 인간과 구별할 수 없을 정도로 자연스럽게 대화할 수 있는지를 평가하는 방법을 제시했다. 튜링의 아이디어는 인공지능 연구의 기초가 되었다.

1956년 다트머스 회의에서 인공지능이라는 용어가 처음 사용되었다. 이 회의는 인공지능 연구의 출발점으로 여겨지며, 존 매카시, 마빈 민스키, 클로드 섀넌 등 여러 과학자들이 참여했다. 이들은 컴퓨터가 학습하고, 문제를 해결하며, 언어를 이해할 수 있는 방법을 연구하기 시작했다. 초기 인공지능 연구는 주로 규칙 기반 시스템과 간단한 알고리즘을 사용하여 문제를 해결하려고 했다.

1970년대와 1980년대에는 인공지능 연구가 크게 발전하지 못했다. 이는 주로 기술의 한계와 높은 기대치에 비해 성과가 부족했기 때문이다. 이 시기를 "AI 겨울"이라고 부르는데, 인공지능 연구에 대한 관심과 자금 지원이 크게 감소한 시기였다. 그러나 일부 연구자들은 계속해서 인공지능 기술을 발전시키기 위해 노력했다.

1990년대에 들어서면서 인공지능 연구는 다시 활기를 띠기 시작했다. 이는 컴퓨터 성능의 향상과 새로운 알고리즘의 개발 덕분이었다. 특히, 인공지능의 한 분야인 머신 러닝(machine learning)이 큰 주목을 받기 시작했다. 머신 러닝은 컴퓨터가 데이터에서 패턴을 학습하고, 이를 바탕으로 예측이나 결정을 내릴 수 있게 하는 기술이다. 이를 통해 컴퓨터는 점점 더 복잡한 문제를 해결할 수 있게 되었다.

2000년대에 들어서면서 인공지능 기술은 더욱 빠르게 발전했다.

특히, 딥 러닝(deep learning)이라는 새로운 기술이 등장하면서 인공지능 연구는 획기적인 전환점을 맞이하게 되었다. 딥 러닝은 인공 신경망(artificial neural networks)을 기반으로 한 기술로, 컴퓨터가 데이터를 여러 층으로 처리하여 복잡한 패턴을 학습할 수 있게 한다. 딥 러닝은 이미지 인식, 음성 인식, 자연어 처리 등 다양한 분야에서 뛰어난 성능을 발휘하며, 인공지능 기술의 발전을 이끌었다.

현대의 인공지능 기술은 우리의 생활과 사회에 큰 영향을 미치고 있다. 예를 들어, 음성 인식 기술은 우리가 스마트폰이나 스마트 스피커를 통해 음성 명령을 내리고, 이를 통해 다양한 작업을 수행할 수 있게 해준다. 애플의 시리(Siri), 구글 어시스턴트(Google Assistant), 아마존의 알렉사(Alexa) 등은 모두 음성 인식 기술을 기반으로 하여 사용자와 상호작용하는 인공지능 비서들이다. 이러한 기술은 우리의 일상 생활을 더욱 편리하게 만들어주고 있다.

자연어 처리(NLP) 기술 역시 큰 발전을 이루었다. 자연어 처리는 컴퓨터가 인간의 언어를 이해하고 생성할 수 있게 하는 기술로, 챗봇, 번역기, 텍스트 분석 도구 등 다양한 애플리케이션에서 사용된다. 구글 번역(Google Translate)은 다양한 언어 간의 번역을 실시간으로 제공하며, 많은 사람들이 언어 장벽을 넘어 소통할 수 있게 해준다. 또한, 기업들은 챗봇을 통해 고객 지원을 자동화하고, 텍스트 분석을 통해 데이터를 더 효과적으로 이해할 수 있다.

추천 시스템도 인공지능의 중요한 응용 분야 중 하나이다. 넷플릭

스(Netflix)와 유튜브(YouTube) 같은 스트리밍 서비스는 사용자의 시청 기록을 분석하여 맞춤형 콘텐츠를 추천해준다. 아마존(Amazon)과 같은 전자 상거래 사이트는 고객의 구매 이력을 바탕으로 관련 상품을 추천하여, 사용자 경험을 향상시키고 매출을 증가시킨다. 이러한 추천 시스템은 사용자 맞춤형 경험을 제공하여, 더 나은 서비스를 가능하게 한다.

이미지 인식 기술은 컴퓨터가 이미지나 영상을 분석하고 이해할 수 있게 하는 기술이다. 이는 얼굴 인식, 객체 인식, 자율 주행 자동차 등 다양한 분야에서 사용된다. 예를 들어, 자율 주행 자동차는 이미지 인식 기술을 사용하여 도로 상황을 분석하고, 안전하게 주행할 수 있게 한다. 또한, 보안 시스템에서는 얼굴 인식 기술을 사용하여 사용자를 인증하고, 보안을 강화할 수 있다.

인공지능 기술은 의료 분야에서도 큰 변화를 가져오고 있다. 예를 들어, 인공지능은 의료 이미지를 분석하여 질병을 조기에 발견하고, 진단의 정확성을 높일 수 있다. 또한, 인공지능은 환자의 의료 데이터를 분석하여 맞춤형 치료 계획을 제시하고, 치료의 효과를 극대화할 수 있다. 이는 의료 서비스의 질을 향상시키고, 환자의 생명을 구하는 데 큰 도움을 줄 수 있다.

인공지능의 발전은 우리의 일상 생활을 더욱 편리하고 풍요롭게 만들어주고 있다. 우리는 이제 인공지능 비서와 대화하고, 자연어 처리 기술을 통해 소통하며, 이미지 인식 기술을 통해 다양한 작업을 자동화할 수 있다. 또한, 인공지능은 우리의 건강을 관리하고,

의료 서비스를 개선하며, 새로운 비즈니스 기회를 창출하는 데 큰 역할을 하고 있다.

미래의 인공지능 기술은 더욱 놀라운 변화를 가져올 것으로 예상된다. 예를 들어, 양자 컴퓨팅(quantum computing)은 기존의 컴퓨터보다 훨씬 빠르고 강력한 계산 능력을 제공할 수 있다. 양자 컴퓨터는 양자 비트(qubit)를 사용하여 복잡한 문제를 빠르게 해결할 수 있으며, 이는 인공지능 알고리즘의 성능을 크게 향상시킬 수 있다. 양자 컴퓨팅은 아직 초기 단계에 있지만, 많은 연구자들이 이 기술의 잠재력을 탐구하고 있다.

또한, 인공지능 기술은 인간의 창의성과 결합하여 새로운 형태의 예술과 창작물을 만들어낼 수 있다. 예를 들어, 인공지능은 음악을 작곡하거나, 그림을 그리거나, 이야기를 작성할 수 있다. 이는 예술과 창작의 새로운 가능성을 열어주며, 인간과 기계가 협력하여 더 나은 결과를 만들어낼 수 있게 한다.

그러나 인공지능 기술의 발전은 윤리적, 사회적 문제를 함께 가져온다. 예를 들어, 인공지능의 자동화로 인해 일자리가 감소할 가능성이 있으며, 이는 사회적 불평등을 초래할 수 있다. 또한, 인공지능의 결정이 인간의 삶에 큰 영향을 미칠 수 있기 때문에, 투명성과 책임성을 확보하는 것이 중요하다. 우리는 인공지능 기술을 발전시키면서 이러한 문제들을 해결하기 위해 노력해야 한다.

인공지능과 미래의 컴퓨팅은 우리의 삶을 더욱 편리하고 풍요롭게 만들어줄 것이다. 우리는 이제 인공지능 기술을 통해 새로운 가능성을 탐구하고, 더 나은 세상을 만들어가기 위해 노력하고 있다. 미래의 컴퓨팅 기술은 우리의 생활 방식을 혁신적으로 변화시킬 것이며, 우리는 이러한 변화에 적응하고, 이를 활용하여 더 나은 삶을 살아갈 수 있을 것이다.

이제 우리는 컴퓨터 역사 속의 흥미로운 일화와 비하인드 스토리로 넘어가, 컴퓨터 기술의 발전 과정에서 발생한 재미있는 이야기들을 살펴볼 것이다. 다음 장에서는 소프트웨어 버그와 해프닝들, IT 업계의 유명한 일화들을 다루어보자.

제11장 컴퓨터 역사속의 흥미로운 일화

    컴퓨터 과학의 역사는 수많은 혁신과 발견으로 가득 차 있지만, 그 과정에서 발생한 흥미로운 일화와 비하인드 스토리들도 많다. 이 장에서는 소프트웨어 버그와 해프닝들, IT 업계의 유명한 일화들을 통해 컴퓨터 기술의 발전 과정에서 발생한 재미있는 이야기들을 소개하려고 한다.

    컴퓨터 역사에서 가장 유명한 소프트웨어 버그 중 하나는 바로 "제1의 버그"이다. 1947년 하버드 대학교의 마크 II 컴퓨터에서 발생한 이 버그는, 실제로 컴퓨터 내부에 들어간 나방(moth) 때문이었다. 그 나방은 릴레이에 끼어들어 컴퓨터의 오작동을 일으켰고, 이를 해결하기 위해 나방을 제거해야 했다. 이 사건은 그레이스 호

퍼에 의해 기록되었으며, "버그"라는 용어가 컴퓨터 오류를 의미하는 단어로 자리 잡게 되었다.

또 다른 유명한 버그는 2000년 문제(Y2K)이다. 20세기가 끝나고 21세기로 넘어가는 시점에서, 많은 컴퓨터 시스템이 연도를 두 자리 숫자로 표기하고 있어, 2000년이 1900년으로 인식되는 문제가 발생할 수 있었다. 이로 인해 전 세계적으로 시스템 오류와 데이터 손실이 발생할 것이라는 우려가 있었으며, 이를 해결하기 위해 수많은 개발자들이 노력했다. 다행히도, 대부분의 시스템이 성공적으로 수정되어 큰 문제 없이 새천년을 맞이할 수 있었다.

IT 업계의 유명한 일화 중 하나는 빌 게이츠와 스티브 잡스의 관계이다. 두 사람은 각각 마이크로소프트와 애플의 창립자로서, 서로 경쟁하면서도 때로는 협력하기도 했다. 1980년대 초반, 마이크로소프트는 애플의 매킨토시 컴퓨터용 소프트웨어를 개발하는 데 참여했으며, 이는 두 회사 간의 초기 협력의 시작이었다. 그러나 1985년 마이크로소프트가 윈도우 운영 체제를 출시하면서, 두 회사는 본격적인 경쟁을 시작하게 되었다.

1997년 스티브 잡스가 애플로 복귀했을 때, 애플은 심각한 재정적 위기에 처해 있었다. 이때 빌 게이츠는 애플에 1억 5천만 달러를 투자하고, 마이크로소프트 오피스를 매킨토시용으로 계속 지원하겠다고 약속했다. 이는 애플의 재정적 안정성을 회복시키는 데 큰 도움이 되었으며, 이후 애플은 아이맥, 아이팟, 아이폰 등 혁신적인 제품을 출시하며 성공적인 회사를 되찾았다. 이 일화는 두 거대 기술 기업의 창립자들이 경쟁 속에서도 협력할 수 있음을 보여주는 사례이다.

또 다른 흥미로운 일화는 스티브 워즈니악과 스티브 잡스의 만남이다. 두 사람은 1970년대 초반에 공통의 친구를 통해 처음 만났다. 당시 워즈니악은 전자공학에 깊은 관심을 가지고 있었고, 잡스는 마케팅과 디자인에 재능이 있었다. 그들은 함께 애플을 설립하고, 첫 번째 제품인 애플 I을 개발했다. 애플 I은 개인용 컴퓨터의 가능성을 보여주었으며, 이후 애플 II의 성공으로 이어졌다. 워즈니악과 잡스의 만남은 IT 역사에서 중요한 전환점이 되었으며, 개인용 컴퓨터 혁명을 이끌었다.

구글의 창립자인 래리 페이지와 세르게이 브린의 이야기도 흥미롭다. 두 사람은 1995년 스탠포드 대학교에서 만났으며, 초기에는 서로 의견이 맞지 않았다고 한다. 그러나 그들은 곧 공통의 관심사를 발견하고, 함께 검색 엔진을 개발하기로 결정했다. 1998년 그들은 구글을 설립하고, 혁신적인 검색 알고리즘을 통해 인터넷 검색의 방식을 혁신적으로 변화시켰다. 구글은 빠르게 성장하며 세계에서 가장 영향력 있는 기술 기업 중 하나로 자리 잡게 되었다.

구글의 초기 성공은 래리 페이지의 말로 잘 요약될 수 있다. 그는 "구글의 사명은 전 세계의 정보를 체계화하여 모두가 접근하고 유용하게 만드는 것이다"라고 말했다. 이는 구글의 핵심 철학이 되었고, 오늘날까지도 구글의 방향을 이끄는 중요한 원칙이 되었다.

IT 업계에서는 종종 해프닝과 재미있는 일화가 발생한다. 예를 들어, 2004년 페이스북의 창립자인 마크 저커버그는 하버드 대학교 기숙사에서 페이스북을 시작했다. 초기에는 하버드 대학교 학생들만 사용할 수 있었지만, 곧 다른 대학으로 확산되었고, 이후 전 세계로 퍼져나갔다. 페이스북은 소셜 미디어의 새로운 시대를 열었으며, 수십억 명의 사용자를 보유한 글로벌 플랫폼으로 성장했다.

페이스북의 초창기 시절, 저커버그는 회사를 위해 작은 방에서 작업하던 때를 회상하며 "우리는 단순히 대학생들을 연결하고자 했을 뿐이다. 그것이 이렇게 큰 영향력을 미칠 줄은 몰랐다"고 말했다. 이는 작은 아이디어가 어떻게 세계적인 혁신으로 이어질 수 있는지를 보여주는 좋은 예이다.

또한, 일론 머스크의 스페이스X는 2018년 세계에서 가장 강력한 로켓 중 하나인 팔콘 헤비를 발사하면서, 그의 개인용 전기차인 테슬라 로드스터를 우주로 보내는 해프닝을 벌였다. 이 이벤트는 전 세계적으로 큰 주목을 받았으며, 우주 탐사와 민간 우주 여행에 대한 관심을 불러일으켰다. 머스크는 "우리는 인류를 다행히 여러 행성에 살 수 있는 종으로 만들고 싶다"라고 말했다. 이는 그의 비전과 혁신 정신을 잘 보여준다.

이 외에도 수많은 흥미로운 일화와 비하인드 스토리가 컴퓨터 과학의 역사에 존재한다. 이러한 이야기들은 기술의 발전 과정에서 발생한 도전과 혁신, 그리고 인간의 창의성과 끈기를 보여준다. 컴퓨터 과학의 역사는 단순한 기술적 발전을 넘어, 인간의 꿈과 열정, 그리고 도전을 통해 이루어진 이야기들로 가득 차 있다.

한편, 초기 인터넷의 발전 과정에서도 재미있는 일화가 많다. 예를 들어, 최초의 스팸 이메일은 1978년 디지털 이큅먼트 코퍼레이션의 마케팅 담당자가 아르파넷 사용자를 대상으로 보내면서 시작되었다. 당시 400명에게 발송된 이 이메일은 큰 논란을 일으켰고, "스팸"이라는 용어가 처음 사용되게 되었다. 오늘날 스팸 이메일은 인터넷 사용자들에게 큰 골칫거리로 남아 있지만, 그 시작은 이처럼 단순한 마케팅 시도로부터 비롯되었다.

또한, 1999년 나스닥 상장 당시 아마존의 CEO 제프 베조스는 주식을 대중에게 공개하면서 "이제 고객의 요구를 더 잘 충족시키기 위해 혁신할 수 있는 자원을 갖추게 되었다"고 말했다. 아마존은 이후 전자 상거래의 선두주자로 자리매김하며, 오늘날 전 세계에서 가장 큰 온라인 쇼핑 플랫폼 중 하나로 성장했다.

이러한 일화들은 기술 혁신과 비즈니스 전략이 어떻게 결합하여 큰 변화를 이끌어낼 수 있는지를 보여준다. 컴퓨터 과학의 역사 속에서 이러한 이야기들은 기술의 인간적 측면과 그 안에 담긴 도전정신을 잘 나타낸다.

이제 우리는 컴퓨터 과학의 현재와 미래를 탐구하며, 우리가 앞으로 마주할 기술적 도전과 기회에 대해 살펴볼 것이다. 다음 장에서는 컴퓨터 과학의 최신 연구 동향과 미래의 기술적 전망을 다루어보자.

제12장 컴퓨터과학의 최신 연구

    컴퓨터 과학은 끊임없이 발전하는 분야로, 매년 새로운 기술과 연구가 등장하고 있다. 이 장에서는 컴퓨터 과학의 최신 연구 동향과 앞으로의 기술적 전망을 살펴보며, 우리가 마주할 기술적 도전과 기회에 대해 이야기해보자.

    오늘날 컴퓨터 과학의 주요 연구 분야 중 하나는 인공지능(AI)과 머신 러닝(ML)이다. 인공지능은 컴퓨터가 인간처럼 생각하고 학습하며 문제를 해결할 수 있게 하는 기술로, 다양한 분야에서 활발히 연구되고 있다. 머신 러닝은 데이터에서 패턴을 학습하고 이를 바탕으로 예측이나 결정을 내리는 기술로, 인공지능의 중요한 하위 분야이다. 이러한 기술들은 의료, 금융, 교통, 교육 등 여러 분야에서 혁신을 이끌고 있다.

인공지능은 의료 분야에서 진단과 치료를 혁신적으로 변화시키고 있다. IBM의 왓슨(Watson)은 방대한 의료 데이터를 분석하여 암 진단과 치료법을 제안하는 데 사용되고 있으며, 이는 의료 전문가들이 더 정확하고 빠르게 진단을 내릴 수 있게 도와준다. 또한, 구글 딥마인드의 알파고(AlphaGo)는 바둑 게임에서 인간 최고 수준의 선수들을 이기며 인공지능의 놀라운 잠재력을 보여주었다.

또한, 자율 주행 자동차는 인공지능과 머신 러닝의 중요한 응용 분야이다. 테슬라, 구글의 웨이모(Waymo), 우버 등 여러 기업들이 자율 주행 기술을 개발하고 있으며, 이는 교통사고를 줄이고 교통 효율성을 높이는 데 큰 기여를 할 것으로 기대된다. 자율 주행 기술은 차량 내외부의 다양한 센서와 인공지능 알고리즘을 통해 실시간으로 도로 상황을 분석하고, 안전하게 주행할 수 있게 한다.

퀀텀 컴퓨팅(양자 컴퓨팅)은 또 다른 중요한 연구 분야이다. 퀀텀 컴퓨터는 기존의 비트 대신 양자 비트(큐비트)를 사용하여, 복잡한 문제를 매우 빠르게 해결할 수 있는 잠재력을 가지고 있다. 양자 컴퓨팅은 특히 암호 해독, 최적화 문제, 신약 개발 등에서 큰 혁신을 가져올 수 있다. 구글, IBM, 인텔 등 여러 기업들이 양자 컴퓨터를 개발하기 위해 경쟁하고 있으며, 이 기술이 상용화되면 컴퓨팅 능력에 혁명적인 변화를 가져올 것이다.

블록체인 기술도 주목받고 있다. 블록체인은 분산 원장 기술로, 데이터를 안전하게 저장하고 거래를 검증하는 데 사용된다. 블록체인은 비트코인과 같은 암호화폐의 기반 기술로 잘 알려져 있지만, 금융, 의료, 물류 등 다양한 분야에서 응용 가능하다. 블록체인은 투명성과 보안성을 제공하여, 신뢰할 수 있는 데이터 거래와 관리 시스템을 구축할 수 있게 해준다.

또한, 컴퓨터 비전과 증강 현실(AR), 가상 현실(VR) 기술도 중요한 연구 분야이다. 컴퓨터 비전은 컴퓨터가 이미지와 영상을 이해하고 분석할 수 있게 하는 기술로, 자율 주행, 의료 영상 분석, 보안 시스템 등에서 사용된다. 증강 현실과 가상 현실 기술은 교육, 게임, 산업 훈련 등 다양한 분야에서 새로운 경험을 제공하며, 현실 세계와 가상 세계를 결합하는 혁신적인 응용을 가능하게 한다.

인터넷의 진화도 계속되고 있다. 사물 인터넷(IoT)은 다양한 기기들이 인터넷에 연결되어 데이터를 주고받을 수 있게 하는 기술로, 스마트 홈, 스마트 시티, 헬스케어 등 여러 분야에서 활용되고 있다. IoT는 센서와 네트워크 기술을 통해 실시간 데이터를 수집하고 분석하여, 효율성을 높이고 새로운 서비스를 제공할 수 있게 한다.

컴퓨터 과학의 발전은 또한 사이버 보안의 중요성을 더욱 부각시키고 있다. 우리는 점점 더 많은 데이터를 온라인에 저장하고 있으며, 이는 사이버 공격의 표적이 될 수 있다. 사이버 보안 연구는 데이터 보호, 암호화, 네트워크 보안 등 다양한 분야에서 이루어지고 있으며, 안전한 디지털 환경을 구축하는 데 중요한 역할을 한다.

미래의 컴퓨터 과학은 인간의 삶을 더욱 편리하고 풍요롭게 만들 것이다. 인공지능은 우리의 일상 생활을 자동화하고, 더 나은 결정을 내리는 데 도움을 줄 것이다. 양자 컴퓨팅은 복잡한 문제를 빠르게 해결하여, 새로운 과학적 발견과 기술 혁신을 촉진할 것이다. 블록체인은 투명하고 신뢰할 수 있는 시스템을 구축하여, 다양한 분야에서 신뢰성을 높일 것이다.

그러나 이러한 기술 발전은 윤리적 문제도 함께 가져온다. 인공지능의 결정에 대한 책임 문제, 데이터 프라이버시, 자동화로 인한 일자리 감소 등은 중요한 사회적 이슈로 대두되고 있다. 우리는 이러한 문제를 해결하기 위해 기술 발전과 함께 윤리적 기준과 법적 규제를 마련해야 한다.

컴퓨터 과학의 미래는 무궁무진하다. 우리는 새로운 기술을 탐구하고, 이를 활용하여 더 나은 세상을 만들어갈 수 있다. 컴퓨터 과학의 발전은 우리의 삶을 근본적으로 변화시킬 것이며, 우리는 이러한 변화에 적응하고, 이를 통해 더 나은 삶을 살아갈 수 있을 것이다.

이제 우리는 이 책의 마지막 장으로 넘어가, 컴퓨터 과학의 여정에서 얻은 교훈과 앞으로의 비전을 정리하며 마무리하도록 하자.

제13장 컴퓨터과학의
역사적 여정과 미래 비전

컴퓨터 과학의 역사는 혁신과 도전, 그리고 성취로 가득 차 있다. 우리는 초기의 계산 도구에서 시작하여 현대의 고도화된 컴퓨터 시스템에 이르기까지 놀라운 발전을 이루어 왔다. 이 장에서는 컴퓨터 과학의 여정에서 얻은 교훈과 앞으로의 비전을 정리하며 이 책을 마무리하도록 하자.

찰스 배비지와 애이다 러브레이스가 초기 컴퓨터의 개념을 제시하며, 컴퓨터 과학의 기초를 닦았다. 배비지는 차분 엔진과 해석 엔진을 설계하며 기계적 계산의 가능성을 열었고, 러브레이스는 첫번째 알고리즘을 작성하여 컴퓨터 프로그래밍의 길을 열었다. 이들은 컴퓨터 과학의 선구자로서, 그들의 혁신과 창의성은 오늘날의 컴퓨터 과학에 큰 영향을 미쳤다.

제2차 세계 대전 동안, 앨런 튜링과 그의 동료들은 암호 해독과 컴퓨터 과학의 기초 개념을 발전시키며, 현대 컴퓨터의 탄생을 이끌었다. 튜링의 봄베와 콜로서스는 전쟁의 판도를 바꾸는 데 중요한 역할을 했으며, 튜링 기계 개념은 오늘날 컴퓨터 과학의 이론적 기초가 되었다. 튜링의 업적은 컴퓨터 과학의 발전에 큰 영향을 미쳤으며, 그의 비전은 지금도 계속해서 우리에게 영감을 주고 있다.

트랜지스터와 마이크로프로세서의 발명은 컴퓨터의 크기를 줄이고 성능을 향상시켜, 개인용 컴퓨터의 시대를 열었다. 빌 게이츠와 스티브 잡스는 각각 마이크로소프트와 애플을 설립하여, 소프트웨어와 하드웨어의 혁신을 이끌었다. 이들은 개인용 컴퓨터를 대중화하며, 컴퓨터가 우리의 일상 생활에 필수적인 도구로 자리잡게 만들었다.

인터넷의 탄생과 월드 와이드 웹의 발전은 우리 사회를 근본적으로 변화시켰다. 우리는 인터넷을 통해 정보를 검색하고, 소통하며, 다양한 서비스를 이용할 수 있게 되었다. 인터넷은 지식의 공유와 협력을 촉진하며, 새로운 비즈니스 모델을 창출하였다. 팀 버너스리의 월드 와이드 웹은 인터넷의 가능성을 열어주었고, 오늘날의 디지털 시대를 가능하게 했다.

소프트웨어 혁명은 컴퓨터 과학의 또 다른 중요한 측면이다. 오픈 소스 운동은 소프트웨어 개발의 투명성과 협력을 강조하며, 소프트웨어의 품질과 보안을 향상시키는 데 큰 역할을 했다. 리누스 토르발스의 리눅스는 오픈 소스 소프트웨어의 성공적인 사례로, 전 세계 개발자들이 협력하여 소프트웨어를 발전시키는 새로운 패러다임을 제시했다.

스마트폰의 등장과 모바일 컴퓨팅의 발전은 우리의 생활 방식을 혁신적으로 변화시켰다. 우리는 이제 언제 어디서나 인터넷에 접속할 수 있고, 다양한 애플리케이션을 통해 필요한 정보를 얻고, 친구들과 소통하며, 엔터테인먼트를 즐길 수 있게 되었다. 스마트폰은 우리의 생활을 편리하게 만들어주며, 새로운 가능성을 열어주었다.

인공지능과 미래의 컴퓨팅 기술은 우리의 생활과 사회를 더욱 혁신적으로 변화시킬 것이다. 인공지능은 다양한 분야에서 혁신을 이끌고 있으며, 우리의 일상 생활을 자동화하고, 더 나은 결정을 내리는 데 도움을 줄 것이다. 양자 컴퓨팅, 블록체인, 증강 현실 등 새로운 기술들은 우리의 미래를 더욱 밝게 만들어줄 것이다.

컴퓨터 과학의 여정은 혁신과 도전, 그리고 성취의 역사이다. 우리는 이 여정에서 많은 교훈을 얻었으며, 앞으로도 계속해서 새로운 기술을 탐구하고, 이를 통해 더 나은 세상을 만들어갈 것이다. 컴퓨터 과학의 발전은 우리의 삶을 근본적으로 변화시킬 것이며, 우리는 이러한 변화에 적응하고, 이를 통해 더 나은 삶을 살아갈 수 있을 것이다.

미래의 비전은 기술과 인간의 조화를 이루는 것이다. 우리는 기술을 통해 더 편리하고 풍요로운 삶을 살 수 있지만, 그 과정에서 윤리적 문제와 사회적 책임을 함께 고려해야 한다. 인공지능과 자동화로 인한 일자리 감소, 데이터 프라이버시, 사이버 보안 등 다양한 문제들을 해결하기 위해 노력해야 한다. 우리는 기술의 발전을 통해 더 나은 세상을 만들어가는 동시에, 인간의 가치를 지키고 존중하는 사회를 만들어가야 한다.

마지막으로, 컴퓨터 과학의 여정은 끊임없는 도전과 혁신의 과정이다. 우리는 새로운 문제를 해결하고, 더 나은 기술을 개발하기 위해 계속해서 노력해야 한다. 이 여정에서 우리는 협력과 창의성을 통해 놀라운 성과를 이루어낼 수 있을 것이다. 컴퓨터 과학의 미래는 우리의 손에 달려 있으며, 우리는 이를 통해 더 밝고 희망찬 미래를 만들어갈 수 있을 것이다.

작가의 말

안녕하세요, 독자 여러분. 이 책은 저의 두 번째 책입니다. 컴퓨터 공학을 전공하면서 항상 최신 기술에만 관심을 두고 살아왔습니다. 그러나 이번에 컴퓨터의 역사를 정리하면서, 그동안 간과했던 과거의 기술적 발전과 혁신의 중요성을 새삼 깨닫게 되었습니다. 컴퓨터의 역사를 뒤돌아보는 것은 앞으로 다가올 최신 기술을 이해하는 데 큰 도움이 될 것입니다.

이 책을 쓰는 동안 많은 분들의 도움이 있었습니다. 먼저, 항상 저를 응원해주신 부모님과 와이프, 그리고 사랑하는 아들 하람이에게 깊은 감사의 마음을 전합니다. 그들의 사랑과 지지가 없었다면 이 책을 완성할 수 없었을 것입니다. 또한, 오랫동안 저를 지도해주시고 끊임없는 격려를 보내주신 김수연 교수님께도 감사의 인사를 드립니다. 교수님의 가르침과 조언이 없었다면 이 책은 결코 완성되지 못했을 것입니다.

이 책은 아주 쉬운 내용으로만 작성했습니다. 이 책이 자라나는 다음 세대들에게 컴퓨터 과학의 흥미로운 역사를 이해하고, 앞으로의 기술 발전에 기여할 수 있기를 소망합니다. 컴퓨터 과학의 역사는 단순히 과거의 이야기로 끝나지 않습니다. 그것은 현재와 미래를 연결하는 중요한 다리이며, 이 책을 통해 그 다리 위를 함께 걸어가기를 바랍니다.

저자 이상훈 올림